C0-ARJ-351
FOAL

ILUSTRACIONES Fran Bravo
TEXTO José Luis Bravo

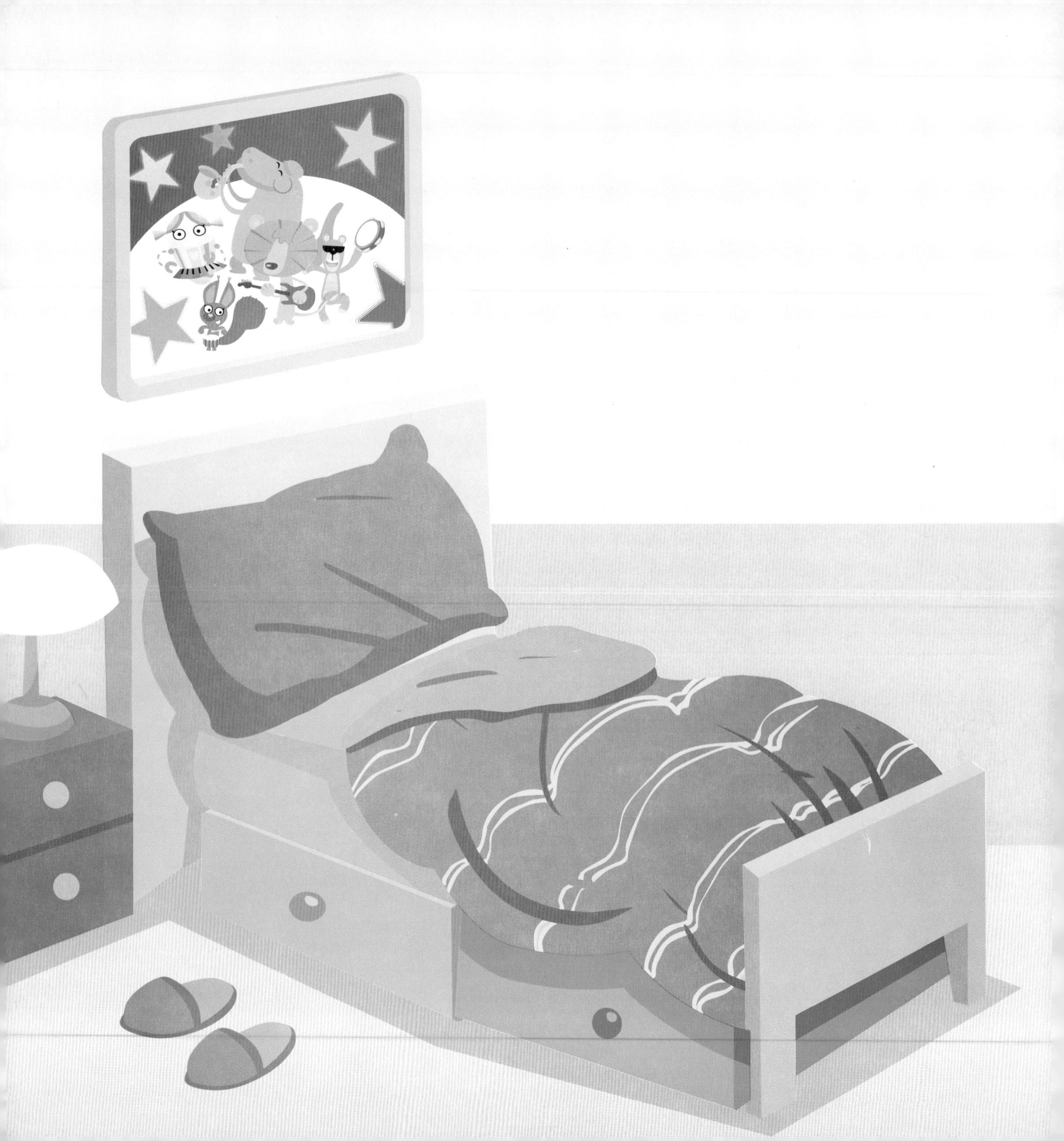

Hoy es un día muy especial para Daniel:
es su cumpleaños. Cómo pasa el tiempo
y ¡cómo ha crecido!

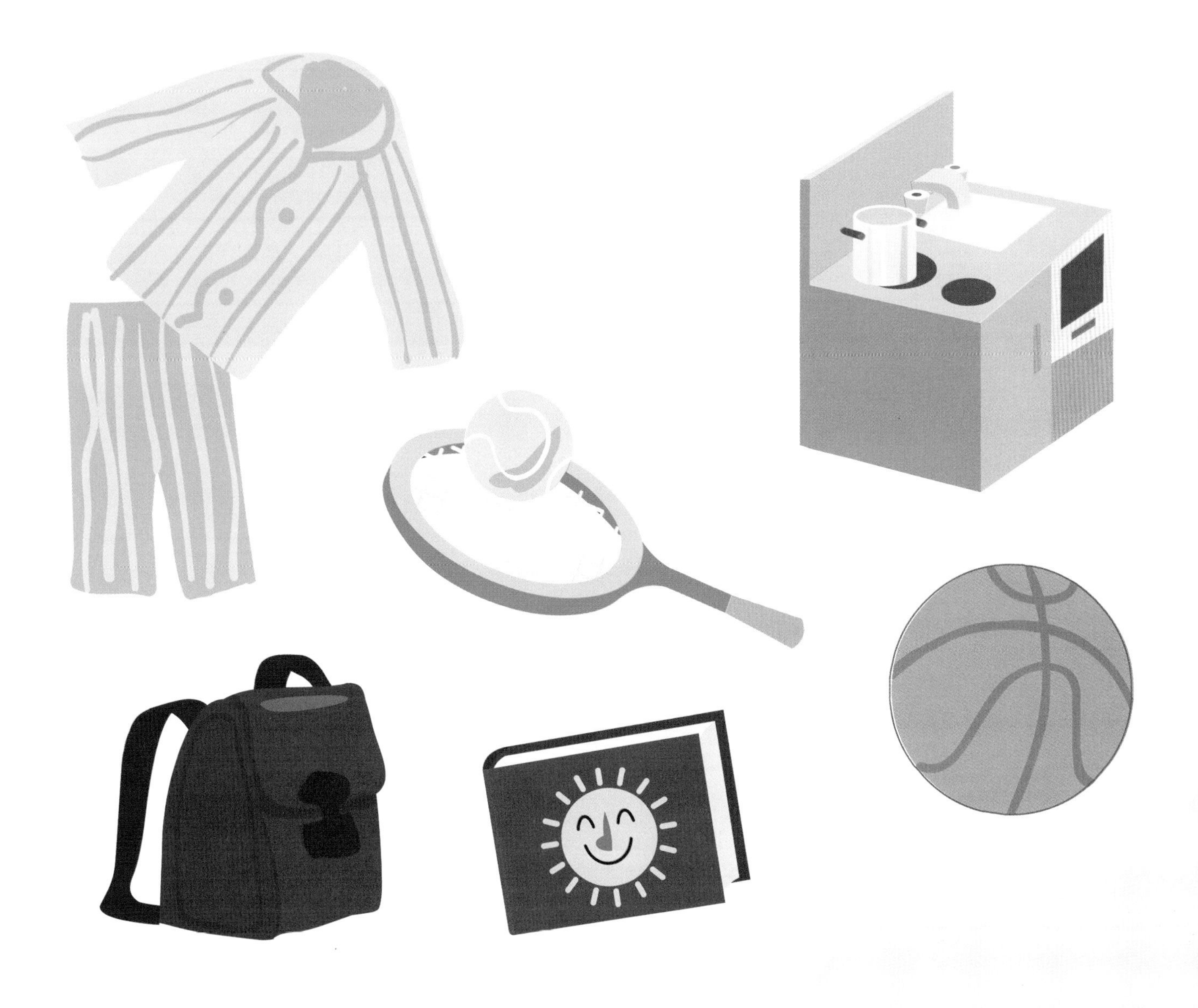

A Daniel le esperan muchos regalos, pero no sabe qué serán. ¡Claro, los regalos tienen que ser una sorpresa! Seguro que algunos le gustarán muchísimo y otros, quizá, no tanto.

Su madre está en la cocina preparando una estupenda tarta para la fiesta de esta tarde. A Daniel y a Blus les gusta seguir el ritmo que hace al batir los ingredientes, así que comienzan a cantar y bailar.

Las yemas de cuatro huevos,
de azúcar, tres cucharadas,
seis onzas de chocolate
y mucha leche merengada.
Plat, plat..., ¡la tarta ya está!
Y los Diversónicos la quieren probar.
Acompaña a Daniel y a sus amigos
y compartirán esta aventura contigo.

Los Diversónicos están muy concentrados ensayando sus canciones.

—Hola, chicos —dice Blus alegremente—. Eso suena muy bien...

—Sí, es una buena canción —responde Kin, el león—. Vamos a parar un rato para tomar algo, ¿os apuntáis?

—¡Qué buena idea! —dice Daniel—. Pero antes quiero daros una gran noticia...

—¡Hoy es mi cumpleaños! —anuncia Daniel, sonriente y feliz.

Los Diversónicos no saben qué hacer. Se han quedado boquiabiertos.
No sabían que hoy era el cumpleaños de Daniel y no han preparado nada.

Antes de que Daniel pueda decir nada más, todos, menos Blus, salen corriendo.

–¿Dónde han ido? –pregunta Daniel, desconcertado–. ¿Por qué se han marchado?

–Ejem... –Blus no sabe muy bien qué decir–. Seguro que están muy ocupados. Los Diversónicos siempre tenemos cosas que hacer.

Daniel encuentra a Dubi en el supermercado.

–¡Eh, Dubi! ¿Puedo ayudarte? –pregunta Daniel–. Ese carro parece muy pesado.

–No, no..., gracias –dice el dinosaurio, disimulando–, yo puedo solo y tengo muchísima prisa. Cuando termine, jugamos, ¿de acuerdo?

–¿Qué te he dicho, Daniel? –insiste Blus–. Siempre andamos corriendo de aquí para allá...

Daniel y Blus van a buscar a los demás y encuentran a la pequeña Tika.

—Tika, ¿estás muy ocupada? —pregunta Daniel—. ¿Puedo jugar contigo?

—Lo siento, Daniel —se disculpa la ardilla—, necesito acabar de pintar esta caja y no tengo tiempo. Mejor después.

Daniel está cada vez más triste porque ninguno de sus amigos quiere jugar con él. De pronto, encuentra a T-cla, la robot.

—Ni Dubi ni Tika me hacen caso —dice Daniel a T-cla, algo enfadado—. ¿Puedo quedarme contigo?

—No, gracias, Daniel —le responde T-cla—. Esto es muy difícil y no puedo distraerme. Cuando acabe, jugamos, ¿de acuerdo?

Kin está recortando triángulos de colores y Daniel se acerca, desilusionado.

—Daniel, perdona si no te hago caso —dice el león, concentrado—. Necesito acabar con esto y no tengo tiempo para jugar.

—Como quieras —contesta Daniel, cabizbajo—. Me imaginaba que tú tampoco querrías jugar...

Daniel está aburrido y enfadado: ¡vaya un día de cumpleaños! Sus amigos los Diversónicos no tienen tiempo para él. Para colmo, hasta Blus ha desaparecido.

—¡Hola, Daniel! —grita Dubi desde lejos—. *¡Ufff!* ¡En seguida vuelvo!

Inesperadamente, Tika y Kin llaman a Daniel. Tienen que llevar unas sillas y necesitan su ayuda.

–Muchas gracias, Daniel –dice la ardilla, agotada–. ¡No sabía que pesaban tanto!

–¿Para qué son estas sillas? –pregunta Daniel, desconcertado–. ¿Adónde las llevamos?

—¡Feliz cumpleaños! —gritan los Diversónicos. ¡Vaya fiesta que le han preparado entre todos!

—¡Muchas gracias! —dice Daniel, muy emocionado—. Ahora lo entiendo todo. Hasta habéis hecho una piñata.

—¡Vamos, Daniel! —exclama Tika—. ¡Todos a por la piñata!

Todos ríen alborotados mientras recogen las golosinas que caen de la piñata.

–¡Un momento! –dice T-cla–. ¿Dónde está la tarta?

–¿Y dónde se ha metido Blus? –pregunta Daniel, extrañado–. Se va a quedar sin caramelos.

Daniel y sus amigos dejan la piñata para buscar a Blus.

—¡Qué bien huele! —dice Dubi, relamiéndose—. ¿De dónde viene ese olor?

—Mi olfato dice que viene de la cocina —responde Kin—. ¡Vamos a ver!

¡Blus está preparando la tarta de Daniel! Vaya ritmo que tiene batiendo los huevos con la leche y el azúcar.

—¡Gracias, Blus! —dice Daniel—. Aquí tienes unas golosinas de la piñata. Qué pena que te la hayas perdido...

—Pero no te las comas ahora —dice Dubi, impaciente—. No pares de batir... ¡Nos encanta este ritmo!

¡plat-plat!
¡plat-plat!

Daniel está muy feliz el día de su cumpleaños. La tarta de su madre está deliciosa y le han hecho muchos regalos. Pero lo mejor, sin duda, ha sido celebrarlo con sus amigos.

EDITORIAL EVEREST, S. A.
División de Licencias y Libros Singulares
Calle Manuel Tovar, 8
28034 Madrid (España)

ISBN: 978-84-441-6763-3
Depósito legal: LE. 1249-2012
Printed in Spain – Impreso en España
Editorial Evergráficas, S. L.